SOLLERS
ÉCRIVAIN

DU MÊME AUTEUR

AUX MÊMES ÉDITIONS

Le Degré zéro de l'écriture
coll. Pierres vives, 1953
coll. Points, 1972

Michelet par lui-même
coll. Écrivains de toujours, 1954

Mythologies
coll. Pierres vives, 1957
coll. Points, 1970

Sur Racine
coll. Pierres vives, 1963
coll. Points, 1979

Essais critiques
coll. Tel Quel, 1964

Critique et Vérité
coll. Tel Quel, 1966

Système de la mode
1967

S/Z
coll. Tel Quel, 1970
coll. Points, 1976

Sade, Fourier, Loyola
coll. Tel Quel, 1971

Le Plaisir du texte
coll. Tel Quel, 1973

Roland Barthes
coll. Écrivains de toujours, 1975

Fragments d'un discours amoureux
coll. Tel Quel, 1977

Leçon
1978

AUX ÉDITIONS SKIRA

L'Empire des Signes
coll. Sentiers de la création, 1970

ROLAND BARTHES

SOLLERS ÉCRIVAIN

ÉDITIONS DU SEUIL
27, rue Jacob, Paris VIe

ISBN 2-02-005187-7

— N'oublions pas Sollers.

— Mais on ne parle que de lui! Hier encore, j'ai vu qu'on l'attaquait dans un quotidien de gauche. On lui reprochait d'avoir été stalinien (puisqu'il a assisté à une Fête de l'Humanité), maoïste (puisqu'il a visité la Chine) et d'être maintenant cartérien (puisqu'il est allé aux États-Unis).

— On ne parle jamais de lui. On ne dit plus jamais que c'est un écrivain, qu'il a écrit et qu'il écrit.

— Si vous pensez à *Paradis*, dont il fait paraître un fragment dans chaque livraison de *Tel Quel*, avouez que c'est illisible.

* Paru dans *le Nouvel Observateur*, n° 739, 6 /1 /79.

— *Paradis* est lisible (et drôle, et percutant, et riche, et remuant des tas de choses dans toutes les directions — ce qui est le propre de la littérature), si vous rétablissez en vous-même, dans votre œil ou votre souffle, la ponctuation.

— Mais alors pourquoi la supprimer?

— Peut-être pour vous obliger à lire plus lentement? Un nouveau rythme, un nouveau tempo? Est-ce que vous lisez *le Monde* à la même vitesse que *France-Soir?*

— Je ne lis que *le Monde.*

— Vous pouvez cependant admettre de lire un texte littéraire à un autre rythme que votre journal? De la vitesse de lecture, dépendent beaucoup de choses en littérature. La ponctuation, parfois, c'est comme un métronome bloqué; défaites le corset, le sens explose; c'est plus lent à lire, parce que c'est plus riche; et parce que c'est plus lent, paradoxalement, ça brûle les étapes.

— Mais pourquoi s'obstine-t-il à publier interminablement des morceaux de cette œuvre, sans jamais s'expliquer?

— Précisément : on pourrait lui faire crédit et penser que cette obstination veut dire quelque chose : qu'elle nous communique la tension, l'éblouissement et le péril d'un grand projet, d'un projet *d'une autre taille* (la taille des œuvres, comme la vitesse de leur lecture, ça fait partie de leur sens).

— Mais alors pourquoi dévoiler l'œuvre par morceaux?

— Proust l'a fait, et ces morceaux ont été plutôt mal compris.

— Vous n'allez tout de même pas comparer Sollers à Proust!

— Du point de vue des pratiques et des souffrances, tout écrivain peut se comparer aux plus grands. Et il me semble que l'exemple de ces deux auteurs appelle notre attention sur une certaine éthique de l'écrivain, qui l'oblige à risquer tout de suite l'énigme de son œuvre. (Proust l'a dit mille fois : ne jugez pas trop vite, tout n'est pas dit, attendez.) Sollers nous amène (du moins il m'amène) à penser la littérature, non sur un mode tactique (réussir le « coup » d'un livre), mais plutôt : eschatologique.

— C'est un mot religieux, non?

— Le sens d'un mot peut émigrer : « révolution » est un terme d'astronomie, et pourtant quelle fortune en dehors des astres!

— Et ça veut dire quoi, « eschatologique »?
Je n'ai pas mon dictionnaire avec moi.

— Ça se produit quand la pensée (ou le désir) de la fin excède le temps présent, le calcul présent. Ça renvoie à l'idée d'une fin bien plus lointaine que celle de la tactique ou de la stratégie : une fin que l'écrivain lit dans sa solitude sociale. Car l'écrivain est seul, abandonné des anciennes classes et des nouvelles. Sa chute est d'autant plus grave qu'il vit aujourd'hui dans une société où la solitude elle-même, en soi, est considérée comme une faute. Nous acceptons (c'est là notre coup de maître) les particularismes, mais non les singularités; les types, mais non les individus. Nous créons (ruse géniale) des chœurs de particuliers, dotés d'une voix revendicatrice, criarde et inoffensive. Mais l'isolé absolu? Celui qui n'est ni breton, ni corse, ni femme, ni homosexuel, ni fou, ni arabe, etc.? Celui qui n'appartient *même pas* à une minorité? La littérature est sa voix, qui, par un renversement « paradisiaque », reprend superbement toutes les voix du monde, et les mêle dans une sorte de chant qui ne peut être entendu que si l'on se porte, pour l'écouter (comme dans ces dispositifs acoustiques d'une grande perversité), très au loin, en avant, par-delà les écoles, les avant-gardes, les journaux et les conversations.

— Pourquoi écrivez-vous cela aujourd'hui?

— Je vois Sollers réduit comme une tête de Jivaro : il n'est plus maintenant rien d'autre que « celui qui a changé d'idées » (il n'est pourtant pas le seul, que je sache). Eh bien, je pense qu'un moment vient où les images sociales doivent être *rappelées à l'ordre.*

Drame, poème, roman [*]
(1965-1968)

Le texte que voici a été publié dans Critique, *en 1965, quand a paru* Drame, *de Philippe Sollers (aux éditions du Seuil). Si l'auteur y ajoute aujourd'hui un commentaire, c'est d'abord pour participer à l'élaboration continue d'une définition de l'écriture, qu'il est nécessaire de corriger en rapport et en complicité avec ce qui s'écrit autour de lui; c'est aussi pour représenter le droit de l'écrivain à dialoguer avec ses propres textes; la glose est certes une forme timide de dialogue (puisqu'elle respecte la partition de deux auteurs, au lieu de mêler vraiment leurs écritures); menée par soi-même sur son propre texte, elle peut néanmoins accréditer l'idée qu'un texte est à la fois définitif (on ne saurait l'améliorer, pro-*

[*] In *Théorie d'ensemble*, coll. « Tel Quel », Seuil, 1968.

11

fiter de l'histoire qui passe pour le rendre rétro-activement vrai) et infiniment ouvert (il ne s'ouvre pas sous l'effet d'une correction, d'une censure, mais sous l'action, sous le supplément d'autres écritures, qui l'entraînent dans l'espace général du texte multiple) ; à ce compte, l'écrivain doit tenir ses anciens textes pour des textes autres, qu'il reprend, cite ou déforme, comme il ferait d'une multitude d'autres signes.

L'auteur d'aujourd'hui est donc intervenu sur certains points de son texte d'hier ; ces interventions sont données en italique, sous un chiffre romain [entre crochets] ; les notes annoncées en chiffres arabes appartiennent au premier texte.

Drame et *poème* sont des mots très proches : tous deux procèdent de verbes qui veulent dire *faire.* Cependant, le *faire* du drame est intérieur à l'histoire, c'est l'action promise au récit, et le sujet du drame est *cil cui aveneient aventures* (Roman de Troie). Le *faire* du poème (on nous l'a assez dit) est au contraire extérieur à l'histoire, c'est l'activité d'un technicien qui assemble des éléments en vue de constituer un objet. *Drame* **ne veut pas du tout être** cet objet

fabriqué; il veut être action et non facture :
Drame est le récit d'un événement primordial
et l'auteur refuse de consacrer cet événement
par le recours à un *faire* personnel, c'est-à-dire
de le constituer en poème : *Drame* est choisi
contre le poème. Cependant, comme c'est ce
refus même qui forme, par un projet réflexif,
l'action de *Drame*, l'auteur est obligé de jouer
avec ce qu'il refuse; le poème est arrêté lorsqu'il
va « prendre », mais cet arrêt n'est jamais acquis.
Nous avons donc quelque droit à lire *Drame*
comme un poème[1]; nous le devons même, si
nous voulons entrer dans le vertige de l'auteur;
mais nous devons aussi arrêter ce vertige en
même temps que lui et nous séparer sans cesse
du beau poème qui naît : *Drame* est un sevrage
continu, l'initiation à une substance plus amère
et plus divisée que le lait total du poème.

Cette substance est nommée par son auteur :
roman. S'il paraît encore aujourd'hui provocant

---

1. Il est effectivement possible de lire *Drame* comme un
très beau poème, la célébration indistincte du langage et de
la femme aimée, de leur chemin l'un vers l'autre, comme fut,
en son temps, la *Vita Nova* de Dante : *Drame* n'est-il pas la
métaphore infinie du « je t'aime », qui est l'unique transformation de toute poésie? (Cf. Nicolas Ruwet, « Analyse structurale d'un poème français », *Linguistics*, 3, 1964.)

d'appeler *roman* un livre sans anecdote (visible) et sans personnages (prénommés), c'est que nous sommes encore dans l'étonnement condescendant d'un traducteur de Dante, Delécluze (1841), qui voyait dans la *Vie nouvelle* « *un ouvrage curieux parce qu'il est écrit sous trois formes (mémoires, roman, poème) développées simultanément* », et qui s'estimait devoir « *prévenir le lecteur de cette singularité... pour lui épargner la peine de débrouiller l'espèce de confusion d'images et d'idées que ce système de narration fait naître à une première lecture* », après quoi ledit Delécluze passe à ce qui l'intéresse beaucoup plus, la « personne » de Béatrice. Dans *Drame*, nous n'avons même pas une Béatrice dont la « personne » nous soit donnée : nous sommes enfermés, d'une façon à la fois abstraite et sensuelle, dans l'énigme d'un roman tout pur, puisqu'il est citation du genre « roman ». Or, devant ces problèmes de genres (qui ne sont pas seulement problèmes de critique, mais aussi de lecture), nous sommes peut-être un peu moins démunis qu'il y a quelques années; le roman n'est en effet qu'une des variétés historiques de la grande forme narrative où viennent se ranger, à ses côtés, le mythe, le conte et l'épopée; nous disposons, devant la narration, de deux embryons d'analyse : l'une fonctionnelle, ou paradigmatique, qui tente de dégager dans l'œuvre des éléments noués entre eux par-dessus le pas-à-pas des mots, l'autre séquentielle, ou syntagmatique, qui veut retrouver la route — les routes suivies par les mots — de la première à la dernière ligne du texte. En confrontant ces esquisses de méthode avec une œuvre avancée de notre littérature, il est évident que nous tournons le dos à « l'histoire littéraire » et peut-être encore plus à une critique d'actualité; quelle que soit la nouveauté de *Drame* ce n'est pas son caractère d'avant-garde qui retiendra ici, c'est plutôt sa référence anthropologique [1]; on essaiera d'ap-

[1]. *La tentation anthropologique a eu son moment de vérité. Tant d'années on nous avait fait un casse-tête de l'Histoire, divinité assez simpliste à laquelle on croyait devoir sacrifier toute considération des formes, renvoyées à l'insignifiance; ne fût-ce que pour désacraliser ce nouveau fétiche, il était nécessaire d'imaginer d'autres longueurs, telles qu'on les retrouve dans des systèmes à stabilité trans-historique, comme le langage ou le récit; c'est cette accommodation nouvelle que l'on a appelée ici : anthropologique. Cependant cette référence a perdu de son opportunité. D'abord, l'Histoire elle-même est de moins en moins conçue comme un système monolithique de déterminations; on sait bien, on sait de plus en plus qu'elle est, tout comme le langage, un jeu de structures, dont l'indépendance respective peut être poussée beaucoup plus loin qu'on ne croyait : l'Histoire est elle aussi une*

15

précier *Drame* moins par rapport au dernier roman de choc que par rapport à quelque mythe très primitif, quelque histoire si ancienne qu'il n'en subsiste plus que la forme intelligible.

Une hypothèse récente (encore peu exploitée [2]) propose de retrouver dans le récit les

---

écriture. Ensuite, poser un horizon anthropologique, c'est fermer la structure, donner, sous le couvert scientifique, un arrêt dernier aux signes ; l'analyse du récit ne peut être complice d'une autorité qui accrédite l'idée d'une normalité *humaine, même si c'est pour en célébrer les écarts et les transgressions. Enfin, sauf retour toujours possible à un contentieux régressif, il n'y a plus tellement à opposer l'homme historique et l'homme anthropologique ; qu'importe leur différence, s'ils ont en commun l'un et l'autre une image d'eux-mêmes parfaitement centrée? Ce qui est en cause, c'est d'agrandir la déchirure du système symbolique dans lequel vient de vivre et vit encore l'Occident moderne ; cette entreprise de vacillation est impossible, tant que l'on ne change pas le lieu même de la culture occidentale, à savoir son langage ; si l'on ignore ou réduit ce langage (à une parole, à une communication, à un instrument), on ne fait que le respecter ; pour le décentrer, lui retirer ses privilèges millénaires, faire apparaître une écriture nouvelle (et non un style nouveau), une pratique fondée en théorie est nécessaire.* Drame *en a été sans doute l'une des premières opérations.* Nombres *a suivi, tout récemment. Dans* Drame, *la vacillation atteint le sujet dit « de l'énonciation », le décalage sacré de l'action et de la narration. Dans* Nombres, *elle subvertit les temps, ouvre l'espace des citations infinies et substitue à la ligne des mots une écriture échelonnée, transformant la « littérature » en ce qu'il faut appeler, à la lettre, une scénographie.*

2. A.-J. Greimas, *Cours de sémantique*, fascicules ronéotés à l'École normale supérieure de Saint-Cloud, 1964.

grandes fonctions de la phrase : le récit ne serait qu'une immense phrase (de même que toute phrase est à sa manière un petit récit) : on y retrouverait au moins (je simplifie) deux couples, quatre termes : un sujet et un objet (unis en opposition sur le plan de la quête ou du désir, puisque dans tout récit quelqu'un désire et cherche quelque chose ou quelqu'un), un adjuvant et un opposant, substituts narratifs des circonstanciels grammaticaux (unis en opposition sur le plan des épreuves, puisque l'un aide et l'autre repousse le sujet dans sa quête, déterminant à tour de rôle les dangers et les secours de l'histoire) : l'axe (bi-polaire) de la poursuite est sans cesse transpercé par l'axe des contrariétés et des alliances. C'est ce double mouvement qui fait de la narration un objet intelligible. Toute suite de mots, si elle s'y soumet, par le pouvoir de la fonction symbolique (dont ces oppositions ne sont que les figures élémentaires), devient ainsi une « histoire ». Cette structure générative peut paraître banale : il faut bien qu'elle le soit pour rendre compte de *tous* les récits du monde; mais aussi, dès que l'on aborde ses transformations (qui font son intérêt) et la façon dont ces paradigmes

17

se remplissent sans cependant jamais se perdre, on éclaire peut-être mieux l'universalité des formes et l'originalité des contenus, la communication de l'œuvre et l'opacité de son auteur. A l'extrémité d'une chaîne millénaire qui part, en Occident, d'Homère, *Drame* (sous-titré *roman*) contient la double opposition dont on vient de parler : un homme y cherche éperdument quelque chose, tantôt éloigné, tantôt rapproché de ce bien par des forces dont le jeu est construit, comme dans tout roman. Quel est cet homme? Quel est l'objet de son désir? qu'est-ce qui le soutient? lui résiste?

L'histoire racontée par *Drame* a pour sujet (au sens désormais structural du terme) [II], son narrateur. Qu'un homme raconte ce qui lui est arrivé (dans le cas du roman personnel) ou

---

[II]. *Au sens structural (linguistique), le sujet n'est pas une personne, mais une fonction. Rien n'oblige à donner à cette fonction une place centrale (narcissique). Le sujet structural n'est pas forcément celui dont on parle, ni même celui qui parle (positions extérieures à la parole); il n'est ni souterrain ni contigu au discours; ce n'est pas un point d'irradiation, de support ou d'action; ce n'est pas le dessous d'un masque ou le corps principal d'un appendice prédicatif. Marquons ici la nécessité (programmatique) d'ouvrir au sujet des métaphores inouïes. Le structuralisme l'a déjà quelque peu vidé; resterait encore à le désituer; l'observation de certaines langues lointaines pourrait y aider : contrairement à ce qui se passe dans nos*

ce qui lui arrive (dans le cas du journal intime), c'est là une forme classique du récit : combien d'écrits à la première personne! A vrai dire, cette première personne classique est fondée sur un dédoublement : *je* est l'auteur de deux actions différentes, séparées dans le temps : l'une consiste à vivre (aimer, souffrir, participer à des aventures), l'autre consiste à écrire (se rappeler, raconter). Il y a donc traditionnellement dans les romans à la première personne deux actants (l'actant est un personnage défini par ce qu'il fait, non par ce qu'il est) : l'un agit, l'autre parle; étant deux pour une même personne, ces actants entretiennent entre eux des rapports difficiles, dont la difficulté même est consommée sous le nom de *sincérité* ou d'*authenticité;* comme les deux moitiés de l'androgyne platonicien, le narrateur et l'acteur courent l'un après l'autre, sans jamais coïncider; cet

---

phrases, où c'est le sujet lui-même qui décrète l'objectivité de son discours — dont il se décore supplémentairement —, le japonais, par exemple, à force de subjectiviser la grammaire (ce qui est une manière de discrétion, puisque aucune constatation n'y est pensée comme objective, c'est-à-dire comme universelle), le japonais fait du sujet, non l'agent tout-puissant du discours, mais plutôt un grand espace obstiné qui enveloppe l'énoncé et se déplace avec lui.

écart s'appelle *mauvaise foi* et, depuis longtemps déjà, la littérature s'en préoccupe. A cet égard, le projet de Sollers est radical : il entend lever au moins une fois (*Drame* n'est pas un modèle ; c'est une expérience sans doute inimitable, par son auteur même) la mauvaise foi attachée à toute narration personnelle : des deux moitiés traditionnelles, l'acteur et le narrateur, unies sous un *je* équivoque, Sollers ne fait à la lettre qu'un seul actant : son narrateur est absorbé entièrement dans une seule action, qui est de narrer ; transparente dans le roman impersonnel, ambiguë dans le roman personnel, la narration devient ici opaque, visible, elle emplit la scène. Aussitôt, bien entendu, toute psychologie disparaît [III] ; le narrateur n'a plus à ajuster ses actes passés et sa parole présente : temps, souvenirs, raisons ou remords tombent hors

[III]. *L'évacuation de la « psychologie », depuis si longtemps investie dans le roman traditionnel, de type bourgeois, n'est pas seulement une affaire de littérature. La psychologie est aussi dans l'écriture de la mondanité, dans ce livre que nous croyons intérieur, que nous appelons, en l'opposant bien naïvement au monde des livres, « la vie » : tout notre imaginaire quotidien, parlé en dehors de toute situation d'écrivain ou d'artiste, est essentiellement psychologique. L'œuvre fondée en psychologie est toujours claire, parce que notre vie nous vient de nos livres, d'une immense géologie d'écritures psychologiques ; ou plutôt : nous appelons clarté cette circulation égale des codes dont s'écri-*

de la personne [3]. La conséquence en est que
la narration, acte fondamental du sujet, ne
peut être prise en charge naïvement par aucun
pronom personnel : c'est la Narration qui
parle, elle est sa propre bouche et la langue
qu'elle émet est originale; la voix n'est pas ici
l'instrument, même dépersonnalisé, d'un *secret :*
le *ça* qui est atteint n'est pas celui de la personne, c'est celui de la littérature (ceci résume

---

vent à la fois nos livres et votre vie : l'une n'est jamais que la
translitération des autres. Changer le livre, c'est donc bien,
selon le premier mot de la modernité, changer la vie. Un texte
comme Drame, au même rang que quelques autres qui l'ont
précédé, accompagné ou suivi, dans la mesure où il change
l'écriture, a ce pouvoir : il n'invite pas à rêver, à transporter
dans la « vie » quelques images, transmises narcissiquement de
l'auteur au lecteur, ce « frère »; il modifie les conditions mêmes
du rêve, du récit ; en produisant une écriture multiple, non pas
étrange, mais inouïe, il rectifie le langage lui-même, attestant
qu'aujourd'hui l'originalité n'est pas une attitude esthétique
mais un acte de mutation.

3. Beaucoup de notations dans *Drame* à ce sujet : « C'est
lui et lui seul... mais qu'est-ce que ce *lui* dont il ne sait rien? »
(p. 77). — « Se tuer? Mais qui se tue, s'il se tue? Qui tue soi?
Qu'est-ce que *qui* là-dedans? » (p. 91). — « Ce n'est pas encore
lui, ce n'est pas encore assez pour être lui » (p. 108). — « Il
est dans la nuit qu'il est. Il la tient en quelque sorte en réduction sous son regard — mais lui-même y a disparu (il vérifie
en somme qu'il n'y a pas de « sujet » — pas plus que sur cette
page) » (p. 121). — La dépersonnalisation du sujet est commune à bien des œuvres modernes. Le propre de *Drame,*
c'est qu'elle n'y est pas *racontée* (rapportée), mais *constituée*
(si l'on peut dire) par l'acte même du récit.

un certain mystère de *Drame*). Cependant la conjugaison est là, qui oblige toute phrase (tout récit) à être personnelle ou impersonnelle, à choisir entre le *il* et le *je*. Sollers alterne ces deux modes selon un projet formel (le *il* et le *je* se suivent comme les cases noires et blanches d'un échiquier) dont la rhétorique même dénonce le caractère volontairement arbitraire (toute rhétorique vise à vaincre la difficulté du *discours sincère*). Entre le *il* noir et le *je* blanc, il y a sans doute une certaine différence de substance; contrairement au mouvement classique qui veut qu'un auteur *(je)* décide de parler de lui ou d'un autre *(il)*, c'est l'impersonnel qui lance comme une flèche sans cesse reprise, retournée [4], un *je* sans personne, qui n'a d'individualité que celle de la main toute corporelle qui écrit; la substance qui sépare les deux personnes de la narration n'est donc nulle part d'identité, mais seulement d'antériorité : *il* est à chaque fois celui qui va écrire *je; je* est à chaque fois celui qui, commençant

4. Sollers conclut ainsi une très belle description de saint Sébastien : « *il* peut représenter un arc et *je* la flèche. La seconde doit jaillir du premier comme la flamme du feu... mais pourtant aussi y rentrer sans efforts... et *je* peut devenir alors ce qui l'alimente, s'y brûle » (p. 133).

à écrire, va cependant rentrer dans la pré-
créature qui lui a donné naissance. Cette insta-
bilité fonctionne comme un tremblement réglé,
chargé de fonder une personne privative du
récit. Toute histoire se dit *d'un certain point
de vue*, qu'on peut appeler *modalité*, puisqu'en
grammaire le mode a également pour fonction
de signaler l'attitude mentale du sujet par
rapport au procès énoncé par le verbe; la
modalité, de Joyce, de Proust à Sartre, à
Cayrol et à Robbe-Grillet, est l'un des grands
lieux de recherche de la littérature contempo-
raine. Sollers ne peut *faire croire* à l'anonymat
de la narration, car *il* et *je*, imposés par la
langue, sont des formes prégnantes de la personne; mais en tressant le fil noir et le fil blanc
du personnel et de l'impersonnel, il transforme
l'apersonne psychologique du héros (acquise
déjà depuis longtemps) en amodalité technique du récit : il *signifie* l'absence de modalité.

Tel est le sujet, le héros de *Drame :* un pur
narrateur. Ce héros cherche à raconter quelque
chose; pour lui, *la véritable histoire* est l'enjeu
qui justifie son entreprise, ses espoirs, ses
ruses, ses dépenses, bref toute son activité de

narrateur (puisqu'il n'est que cela) [IV]. Dans *Drame*, l'histoire (le *roman*) compte tellement qu'elle devient l'objet de la quête : l'histoire est le désir de l'histoire. Quelle est la *fable élémentaire* ainsi poursuivie et dont la poursuite fait le livre? Nous ne le saurons jamais, si nous

[IV]. *On sait comment les substantifs d'action (marqués en latin par la désinence - tio) sont ordinairement reçus comme des substantifs inertes, dénotant un simple produit :* la description, *ce n'est plus l'action de décrire, c'est le résultat de cette action, un pur tableau immobile.* Narration *doit échapper ici à cette dégénérescence sémantique. Dans* Drame, *nous sommes mis en présence, non d'une chose narrée, mais d'un travail de narration. Cette ligne mince qui sépare le produit de sa création, la narration-objet de la narration-travail, c'est le partage historique qui oppose le récit classique, sorti tout armé d'une préparation antérieure, au texte moderne qui, lui, ne veut pas préexister à son énonciation et, donnant à lire son propre travail, ne peut finalement se lire que comme travail. Cette différence se voit bien si l'on observe une forme classique, en apparence très proche du récit en action : il s'agit de ces histoires dans l'histoire, où un narrateur, lui-même présenté d'une façon déjà anecdotique, déclare qu'il va nous raconter quelque chose : et suit l'histoire. Ce qu'un roman comme* Drame *supprime, c'est précisément cet éclusage du flux narratif. Le narrateur classique s'installe devant nous, comme on dit :* se mettre à table *(même au sens policier de l'expression) et expose son produit (son âme, son savoir, ses souvenirs), posture à laquelle correspondent, en ponctuation, les deux points fatidiques de l'exorde prêt à se panacher d'un beau récit. Le narrateur de* Drame *efface les deux points, renonce à toute installation : il ne peut être* derrière *la table, devant son récit; son travail est plutôt celui d'une migration; il s'agit de traverser les codes, d'en tapisser, comme les parois latérales d'un voyage, l'espace du texte, à la façon d'une masse d'écrivains qui combineraient entre eux des fragments de gestes pour transformer la ligne des mots en scène d'action verbale.*

24

oublions que le narrateur ne se double nullement ici (comme c'est le cas ordinaire) d'un acteur dont il faudrait reconstituer le secret objectif ; si nous attendons de *Drame* l'intérêt d'un roman policier, c'est-à-dire si nous oublions le narrateur de l'histoire au profit de son acteur, nous ne saurons jamais « le mot de la fin », nous ignorerons toujours quelle est la *véritable histoire*, citée, appelée mystérieusement tout au long du livre ; mais si nous ramenons l'énigme de l'acteur au narrateur (puisque c'est le seul actant de la fable), nous comprendrons tout de suite que l'*histoire véritable* n'est rien d'autre que la recherche qui nous est contée. Cette sorte de tautologie n'est pas sophistiquée. Qu'une absence d'histoire (sur le plan de la fiction) engendre une histoire dense (sur le plan de l'écriture), qu'au degré zéro de l'action corresponde un sens plein, une marque signifiante de la parole, que l'événement (le drame) soit en quelque sorte transfusé du monde ordinairement copié (réel, rêve ou fiction) au mouvement même des mots qui fixent ce monde comme des yeux, ce peut être là le départ d'œuvres absolument *réalistes*. Cervantes, Proust ont écrit des livres qui ont rencontré le monde en recherchant le Livre; ils ont justement cru qu'en fixant un modèle écrit (romans courtois ou livre désiré), c'est-à-dire l'écriture elle-même, sans cependant écrire *cette histoire-là* qui est devant. Ils pourraient dire, *chemin faisant*, tout un monde — et des plus réels [v]. Au long d'un projet purement littéraire, le narrateur de Sollers, lui aussi, fait son chemin dans un monde *sensible* (c'est le poème dont on parlait au début), mais ce monde ne peut être vivant (lavé de toute mauvaise foi : innocent?) que dans la mesure où, le mal, la mort étant fixés sur l'histoire à faire — et jamais faite —, la narration n'est en fait que la figure libre de cette question : *qu'est-ce qu'une histoire?* A quel niveau de moi-même, du monde, vais-je décider

[v]. *La pratique de l'indirect a une fonction de vérité. Face à la parole expressive, chargée d'authentifier une « chose » conçue comme antérieure au discours, l'indirect trouble le procès même de l'expression, il falsifie le rapport du centre et des bords, opère, à l'égard de cette « chose » que le langage aurait à dire, un perpétuel déportement, en maintenant toujours le plein (l'information, le sens, la fin) en avant, dans l'inédit — ce qui est aussi une manière de déjouer l'interprétation des œuvres. L'indirect (la constitution du paysage de côté) assure la mise en parallèle du récit, la transformation stéréographique de l'assertion. Peut-être la linguistique elle-même, qui, ces derniers temps, grâce à Jakobson, a pu repérer de nouvelles formes typiques de message, reconnaîtra-t-elle un jour que l'oblique est un mode fondamental d'énonciation.*

qu'il m'arrive quelque chose? Les plus anciens
poètes, auteurs de ces très vieilles ballades
épiques, antérieures à l'*Iliade,* exorcisaient l'arbitraire terrifiant du récit (pourquoi commencer
ici plutôt que là?) par un proème dont le sens
rituel était celui-ci : l'histoire est infinie, elle
a commencé depuis longtemps (a-t-elle jamais
commencé?) : je la prends *à ce point,* que
j'annonce. De même, l'histoire fondamentale,
la fable élémentaire, dont le sujet fait ici sa
quête sans jamais l'atteindre, détermine rituel-
lement la référence à partir de quoi (vers quoi)
quelque chose peut être raconté : elle est
comme la nomenclature invisible (la *langue,*
au sens saussurien) qui va permettre de
parler [5].

C'est encore le langage (puisque l'action est
ici tout entière narration) qui va constituer les
forces de traverse et de soutien dont la quête
du sujet est mêlée. Deux langages entrent en
lutte, l'un hostile à la *véritable histoire* (nous
ne l'entendons jamais), l'autre s'en approchant
au plus près, accomplissant cette chimère, cet

---

5. « S'il y a récit, il raconte au fond comment une langue
(une syntaxe) se cherche, s'invente, se fait à la fois émettrice
et réceptrice » *(Prière d'insérer).*

27

être verbal, ni réel, ni fictif, dont parle Spinoza, inaccessible à l'entendement et à l'imagination, puisque dans *Drame* il glisse le long d'une histoire absente. Le langage contraire, c'est le langage excessif, encombré de signes, usé dans les histoires fabriquées, formé de « passages prévus d'avance », c'est « cette langue, cette écriture déjà morte, un jour définitivement classée », c'est ce *trop* de l'expression, par quoi le narrateur est expulsé de lui-même, empoisonné de conscience, accablé sous « l'inexprimable poids individuel »; en somme, ce langage ennemi, c'est la Littérature, non seulement institutionnelle, sociale, mais aussi intérieure, cette cadence toute faite qui détermine en fin de compte les « histoires » qui nous arrivent, puisque ressentir, si l'on n'y prend pas garde incessamment, c'est nommer. Ce langage est mensonge, car dès qu'il touche la vision véritable, celle-ci s'évanouit [6]; mais si l'on y renonce, une langue de vérité se met à parler [7].

---

6. « Un effort verbal difficilement repérable au premier abord (et le fait de le découvrir ou de le capter de trop près supprime en effet la vision) » (p. 77).
7. « Je suis prêt à renoncer. Je renonce. Et alors, en marge, il y a ce choc (si j'ai vraiment renoncé) : une langue se cherche

Sollers suit de très près le mythe fondamental de l'écrivain : Orphée ne peut se retourner, il doit aller de l'avant et chanter ce qu'il désire sans le considérer : toute parole juste ne peut être qu'une esquive profonde; le problème, en effet, pour quelqu'un qui croit le langage excessif (empoisonné de socialité, de sens fabriqués) et qui veut cependant parler (refusant l'ineffable), c'est de s'arrêter *avant* que ce *trop* de langage ne se forme : prendre de vitesse le langage acquis, lui substituer un langage inné, antérieur à toute conscience et doué cependant d'une *grammaticalité* irréprochable : c'est là l'entreprise de *Drame*, si semblable en ceci et si contraire en cela à l'écriture immédiate des Surréalistes.

Le langage propose donc ici sa seconde figure, tutélaire comme la fée qui favorise le héros dans sa quête : un certain langage vient visiter le narrateur, l'aider à circonscrire sans défaillance *ce qui lui advient* (l'histoire véritable). Ce langage auxiliaire ne peut être triomphant; c'est un

---

et s'invente. Impression que je vais raconter exactement le trajet des mots sur la page — exactement rien d'autre, rien de plus. » (p. 147).

29

langage furtif, un langage de biais [8] : c'est un « temps de parole », très court puisqu'il doit coïncider avec « *la véritable spontanéité, celle d'avant toute attitude et tout choix* » [9]. *Drame* est la description de ce temps; l'ancienne rhéto-

8. « Il ne saurait rendre compte de cela que d'une manière décevante, entrecoupée, privée de toute vraisemblance, d'harmonie, d'affabulation... Histoire suspendue où rien ne semblerait jamais arriver et qui pourtant serait le comble d'une activité interne. » (p. 73).
9. *L'Intermédiaire*, p. 126. Sollers précise bien dans ce texte que la « spontanéité » n'est pas liée à un désordre des mots, mais au contraire à un protocole sans interstice [vi] : « Il se produirait une telle surcharge d'intentions, une telle complexité pratique, que loin d'en être appauvri ou rendu fastidieux, le sentiment de vivre en serait multiplié à la source. »

[vi]. *La « spontanéité » dont on nous parle ordinairement est le comble de la convention : elle est ce langage réifié que nous trouvons tout prêt en nous, à notre disposition immédiate, lorsque précisément nous voulons parler « spontanément ». La spontanéité visée ici par Sollers est un concept d'une tout autre difficulté : critique fondamentale des signes, recherche presque utopique (et cependant théoriquement nécessaire) d'un a-langage, pleinement corporel, pleinement vivant, espace adamique d'où le stéréotype, constitutif de toute psychologie et de toute « spontanéité », est chassé. La pratique à laquelle Sollers fait ici allusion, de biais (seule transmission possible), n'a aucun rapport avec les modes de rupture dont notre civilisation revendique périodiquement l'urgence. Cette pratique ne consiste pas à ignorer le langage (excellent moyen pour le voir revenir au galop, dans ses formes les plus usées), mais à le surprendre — ou comme dans Drame, à en écouter la suspension précaire : entreprise si peu immédiate qu'on ne la retrouvera sans doute que dans les expériences radicales de la poésie ou dans les opérations très patientes de civilisations extrêmes, tel le wuhsin ou état de non-langage visé par le Zen.*

rique avait codé ses chronographies, appliquées
d'ordinaire à l'âge d'or : *Drame* est aussi la
remontée vers un âge d'or, celui de la conscience,
celui de la parole. Ce temps est celui du corps
qui s'éveille, encore neuf, neutre, intouché par
la remémoration, la signification. Ici apparaît
le rêve adamique du corps total, marqué à l'aube
de notre modernité par le cri de Kierkegaard :
mais donnez-moi un corps! : c'est la division
de l'être en corps, âme, cœur, esprit, qui fonde
la « personne » et le langage négatif qui lui est
attaché : le corps total est impersonnel; l'identité est comme un oiseau de proie qui plane très
haut au-dessus d'un sommeil où nous vaquons
en paix à notre vraie vie, à notre histoire véritable; quand nous nous éveillons, l'oiseau fond
sur nous, et c'est en somme pendant sa descente,
avant qu'il ne nous ait touchés, qu'il faut le
prendre de vitesse et parler. L'éveil sollersien
est un temps complexe, à la fois très long et
très court : c'est un *éveil naissant,* un éveil dont
la naissance dure (comme on a dit de Néron
qu'il était un monstre naissant) [10]. Étymologi-

---

10. Sollers a donné quelques indications sur sa méthode
de sommeil (et d'éveil) dans un passage de *l'Intermédiaire*
(p. 47) consacré à la sieste entrecoupée.

quement, l'éveil est une sur-veillance; ici aussi l'éveil est l'activité d'une conscience que ni la nuit ni le jour n'oblitèrent et qui gère *par la parole* les trésors du sommeil, du souvenir insitué, de la vision. Il ne s'agit pourtant pas chez Sollers d'une pure poétique du rêve; chez lui, sommeil et veille sont plutôt les termes d'une fonction formelle : le sommeil est la figure d'un *avant*, la veille d'un *après*, et l'éveil est le moment neutre où l'opposition peut être perçue, parlée; le sommeil est essentiellement une antériorité [11], la scène de l'origine insoluble [12] : le rêve n'y a donc pas une place privilégiée (les rêves construits, anecdotiques, sont d'ailleurs assez rares dans *Drame*); aligné au rang des souvenirs, visions et imaginations, le rêve est en quelque sorte formalisé, appelé dans cette grande forme alternative qui semble régler le discours de *Drame* à tous ses niveaux et qui

11. « Il me semble que je suis à la frontière des mots, juste avant qu'ils deviennent visibles et audibles, près d'un livre se rêvant lui-même avec une patience infinie. » (p. 87). — «... le rappel d'un état sans mémoire, quelque chose qui aurait toujours précédé ce qu'il est obligé de voir, de penser. » (p. 64).

12. «... frôler intérieurement la limite; le geste, la parole que personne ne comprendrait plus; qu'il ne comprendrait pas davantage, mais dont il serait au moins l'origine insoluble » (p. 91).

oppose le jour et la nuit, le sommeil et la veille, le noir et le blanc (de l'échiquier), le *il* et le *je*, et dont l'éveil n'est en somme que la neutralisation précieuse. C'est un langage de l'*abolition* qui se cherche : abolition des partages, et pour finir, de ce partage, intérieur au langage lui-même, qui renvoie abusivement les choses d'un côté et les mots de l'autre. Pour Sollers, au niveau de l'expérience qu'il raconte, les mots sont antérieurs aux choses — ce qui est une façon de brouiller leur séparation : les mots voient, perçoivent et provoquent les choses à exister [13]. Comment cela se fait-il (car cette précédence des mots ne doit pas être prise comme une simple façon de parler)? On sait que la sémiotique distingue soigneusement dans le sens : le signifiant, le signifié et la chose (le référent) : le signifié n'est pas la chose : telle est l'une des grandes acquisitions de la linguistique moderne. Sollers distend à l'extrême l'écart qui sépare le signifié du référent (écart minime dans le langage courant) : « *C'est du sens* (entendez : du signifié) *des mots qu'il s'agit,*

13. « Il revoit, c'est aux mots de revoir pour lui... » (p. 67).
— : Alors la formule exacte devient non pas : ceci ou cela, mais : depuis ce que je dis, j'aperçois... » (p. 156).

non des choses dans les mots. Inutile de se repré-
senter ici un feu, une flamme : ce qu'ils sont
(entendez : leur être sémantique) *n'a rien à*
voir avec ce qu'on voit » (p. 113). Le parleur
(l'éveillé) imaginé par Sollers ne vit pas au
milieu des choses (ni, bien sûr, au milieu des
« mots », comme signifiants, car il ne s'agit pas
ici d'un verbalisme dérisoire), mais *au milieu*
des signifiés (puisque précisément le signifié
n'est plus le référent); son langage s'offre déjà
à cette rhétorique d'avenir, qui est — qui
sera la rhétorique des signifiés; pour lui, avec
lui, les côtés du langage (comme on dit les limites d'un monde) ne sont pas ceux de la nature
(des choses) comme c'était le cas dans la poésie
romantique, offerte à une critique thématique,
mais ceux de cet envers du sens que constituent
les associations ou chaînes de signifiés : le sens
d'*incendie* n'est pas *flamme*, car il n'est plus
question d'associer le mot à son référent : ce
peut être, plutôt, *fougère* (entre autres), car il
s'agit du même espace métonymique (supérieur
aujourd'hui, poétiquement, semble-t-il, à l'espace métaphorique). Il s'ensuit naturellement
qu'il n'y a plus rupture de substance entre le
livre et le monde, puisque le « monde » n'est

34

pas directement une collection de choses, mais un champ de signifiés; mots et choses circulent donc entre eux de plain-pied, comme les unités d'un même discours, les particules d'une même matière [14]. Ceci n'est pas loin d'un ancien mythe : celui du monde comme Livre, de l'écriture tracée à même la terre [15].

Héros chercheur, histoire cherchée, langage ennemi, langage allié, telles sont les fonctions cardinales qui font le sens de *Drame* (et par conséquent sa tension « dramatique »). Cependant les termes de ce code fondamental sont disséminés, comme les germes de preuves *(semina probationum)* de l'ancienne rhétorique; ils doivent être en quelque sorte recodés dans un certain ordre du discours, dont s'occupe l'analyse séquentielle (et non plus fonctionnelle) : c'est le problème de la *logique* de l'histoire, important dans la mesure où cette logique est responsable de ce que l'on pourrait appeler

14. « ... et pensant brusquement que quelque part, dans un livre, un paragraphe enchevêtré s'ouvre en effet sur le ciel » (p. 141). — « Les mots... (tu es parmi eux transparente, tu marches à travers eux comme un mot parmi d'autres mots) » (p. 81).
15. « Au temps où la gelée copie sur notre terre l'image de sa blanche sœur mais la trempe de sa plume ne dure guère » (Dante, *Enfer*, XXIV).

(comme dans la linguistique récente) l'*accepta-
bilité* de l'œuvre, autrement dit sa vraisemblance. Ici encore, c'est la confusion du narrateur et de l'acteur (qui est décidément la clef
de *Drame*), c'est-à-dire la formule initiale des
fonctions, qui explique la logique particulière
de *Drame*. D'ordinaire, un récit comporte au
moins deux axes temporels : un axe de notation, qui est le temps même que les mots mettent à se suivre, et un axe de fiction, qui est le
temps imaginé de l'histoire; parfois, les deux
axes, ne coïncident pas (décalages, *ordo arti-
ficialis*, flash-backs); or c'est peu de dire que
dans *Drame* ces axes coïncident continûment :
comme il s'agit d'une aventure du langage,
l'axe de notation absorbe toute la temporalité :
pas de temps, hors du Livre : les scènes rap-
portées (dont on ne sait jamais, et pour cause,
si elles sont rêves, souvenirs ou fantasmes)
n'impliquent aucun repère fictif qui soit « autre »
que leur situation graphique [16]. La singularité
de l'axe notationnel est absolue. Un auteur
pourrait en effet récuser toute chronologie nar-

16. Sollers citant Fluchère à propos de Sterne : « ... c'est
que le passé est toujours *présent* dans l'opération de l'esprit
qui consiste à le coucher en mots sur le papier » (*Tel Quel*, n° 6).

rative et cependant soumettre sa notation au
flux de ses impressions, souvenirs, sensations,
etc., mais ce serait encore garder deux axes,
en faisant de l'axe notationnel la copie d'une
autre temporalité, et ce n'est pas du tout la
technique de *Drame*, dans lequel il n'y a pas,
à la lettre, d'autre temps que celui des mots [17];
on a affaire ici à un *présent intégral*, qui n'est
celui du sujet que pour autant que ce sujet est
entièrement absorbé dans sa fonction de narrateur, c'est-à-dire de *fileur* de mots. Il n'y a
donc pas à situer les épisodes de *Drame* les
uns par rapport aux autres : l'indécision de leur
substance (souvenirs? rêves? visions?) les rend
à la lettre inconséquents. Les opérateurs temporels, nombreux dans le discours *(maintenant,
d'abord, mais voici, enfin, soudain, là-dessus)*,
ne renvoient donc jamais au temps fictif d'une
histoire mais seulement et d'une manière auto-
nymique au temps du discours. Le seul temps
que connaisse *Drame* n'est pas celui d'une chro-

17. Sollers, à propos de Poussin : « Ce n'est pas... un
" moment " ou une succession fastidieuse d'impressions plus
ou moins formées, mais le cours du temps volontairement
étagé, dirigé, joué, neutralisé, annulé dans une solide gamme
visible » (*l'Intermédiaire*, p. 84). Et dans *Drame* : « Cela ne
se passe pas dans le temps, mais sur la page où l'on dispose
des temps » (p. 98).

nologie, même intérieure, mais le temps de simple urgence que l'on retrouve dans l'expression : *il est temps* [18] : encore cette urgence n'est-elle pas celle de l'anecdote, mais celle du langage : *il est temps de raconter ceci, qui n'est rien d'autre que le mot, infiniment vaste, qui m'arrive.* Si l'on en revient à notre hypothèse de départ (que nous n'avons d'ailleurs jamais quittée), à savoir qu'il y a une homologie entre les catégories du récit et celles de la phrase, les différents épisodes de *Drame* (correspondant, en gros, aux verbes de la phrase) ne sont jamais formés comme des *temps* (au sens du mot en grammaire), mais comme des aspects du procès (on sait l'importance de l'aspectuel dans des langues comme le grec ou le slave : pourquoi pas dans la langue du récit, également? [VII]. Lors-

18. Cf. *l'Intermédiaire*, p. 150, à propos de Robbe-Grillet.

[VII]. *La langue française (du moins dans sa morphologie verbale) ne connaît pas l'aspectuel. C'est précisément avec ce manque de notre langue que le discours de Sollers entre en lutte : il y supplée, c'est-à-dire, selon Derrida, s'y ajoute et s'y substitue. On peut dire en effet que le discours assure vis-à-vis de la langue un travail de compensation (et non de simple utilisation) : le discours rémunère la langue, il relaie ses manques. Il faut se rappeler (d'après ce que nous ont dit Boas et Jakobson) que « la vraie différence entre les langues ne réside pas dans ce qu'elles peuvent ou ne peuvent pas exprimer, mais dans ce que les locuteurs doivent ou ne doivent pas transmettre ». L'écrivain, en*

que le narrateur nous dit descendre de sa
chambre, sortir de la ville, assister à un acci-

---

cela solitaire, spécial, opposé à tous les parleurs et écrivants,
est celui qui ne laisse pas les obligations de sa langue parler
pour lui, qui connaît et ressent les manques de son idiome et
imagine utopiquement une langue totale ou rien n'est obliga-
toire, empruntant, par son discours, sans le savoir, tantôt au
grec la voix moyenne, lorsqu'il prend son écriture à son propre
compte au lieu de la laisser par procuration à quelque image
sacrée de lui-même (comme l'indo-européen prenant le couteau
des mains du prêtre pour accomplir le sacrifice), tantôt au nootka
l'étonnement d'un mot où le sujet ne fait que prédiquer in extre-
mis, sous forme d'un suffixe secondaire, la plus futile des infor-
mations, qui, elle, est emphatiquement enchâssée dans la racine,
tantôt à l'hébreu la figure (diagrammatique) par laquelle la personne est placée devant ou derrière le verbe, selon qu'elle s'oriente
vers le passé ou l'avenir, tantôt au chinook un discontinu temporel
inconnu de nous (passés : indéfini, récent, mythique), etc. :
toutes ces pratiques linguistiques, en même temps qu'elles forment
comme la vaste imagination du langage, attestent qu'il est possible de construire le rapport du sujet à l'énonciation, en le cen-
trant ou en le décentrant d'une façon inouïe pour nous et notre
langue-mère. Cette langue totale, rassemblée au-delà de toute
linguistique par l'écrivain, n'est pas la lingua adamica, la
langue parfaite, originelle, paradisiaque ; elle est au contraire
faite du creux de toutes les langues, dont l'empreinte se trouve
déportée de la grammaire au discours. Dans l'écriture, la surnu-
mérotation des phrases, dont aucune règle structurale ne peut
limiter théoriquement le cumul, n'a rien à voir avec l'addition
des messages contigus ou l'expansion rhétorique des détails
secondaires (qu'on appelle « développement » d'une idée) : par
rapport à la langue, le discours est superficiellement combinatoire, essentiellement contestateur et rémunérateur ; et c'est en
quoi l'écrivain (celui qui écrit, c'est-à-dire qui dénie les limites
obligatoires de sa propre langue) a la responsabilité d'un travail
politique ; ce travail ne consiste pas à « inventer » de nouveaux
symboles, mais à opérer la mutation du système symbolique
dans son entier, à retourner le langage, non à le renouveler.

dent d'auto, cette succession n'est donnée ni pour contingente (un événement daté) ni pour transcendante (une habitude); c'est, si l'on veut, un aoriste, le mode verbal du procès en soi. Les « routes » suivies par le discours ne sont donc ni celle de la chronologie *(avant/après)*, ni celle de la logique narrative (implication d'un événement par un autre) : le seul régime est ici celui de la constellation; si tout discours n'était pas linéaire (contrainte aux conséquences infinies pour la littérature), il faudrait lire *Drame* comme une grande galaxie, dont la topologie nous est inimaginable. Ce qui fait avancer le syntagme n'est donc pas quelque chose qui serait derrière les mots et dont les mots ne seraient que la couverture, ce sont les mots eux-mêmes : le mot est ici en même temps unité et opérateur du syntagme : le mot déclenche, embraye la suite du discours, soit par son signifiant (certains chants de *Drame* s'enchaînent en écho), soit par son signifié (comme on l'a indiqué plus haut) : le mot est *coup de fouet*, selon l'expression d'Eschyle [19]. C'est là, sans doute, un procédé très ancien de la poésie; le

19. *Suppl.* 466.

nouveau, avec Sollers, c'est que ces mots pro-
pulseurs, ces opérateurs de syntagme détermi-
nent des chaînes périodiques d'associations, à
l'intérieur desquelles les substitutions peuvent
être infinies : sémantiquement, le mot n'a pas
de fond, la phrase n'a pas de fin : analogue peut-
être à la grande structure générative postulée
par Chomsky à propos de la phrase, l'œuvre est
sa propre langue, infiniment substituable :
chacun de nous parle ainsi une phrase immense,
dont il substitue à l'infini les constituants et
que seule la mort peut venir interrompre. *Drame*
invite à mettre en doute la fermeture des
œuvres [20].

Drame ne peut manquer de provoquer des
résistances de lecture car la structure absolument régulière des fonctions narratives (un
héros, une quête, des forces bénéfiques et des
forces ennemies) n'est pas prise en charge par
un discours « logique », c'est-à-dire chronologi-
que ; le lecteur doit chercher l'assise dramatique
du récit dans la mise en question même du récit.

20. (Image d'un incendie) : « Le rêve ne laisse subsister
qu'un seul mot, ou plutôt le suggère mécaniquement, de biais,
d'une façon rigide, fausse. Mais à la place de quoi, ce mot? à
la place de quoi, l'incendie? (est-ce qu'il ose penser : à la place
de quoi, le monde?) » (p. 85).

41

Autrement dit, le code narratif de *Drame* est régulier, mais son code d'exposition ne l'est pas, et dans cette rupture passe précisément le « problème » ou encore le « drame », et par là-même la résistance du lecteur. On peut exprimer cette résistance d'une autre façon : les fonctions cardinales de *Drame*, qui sont celles de tout récit (sujet/objet, adjuvant/opposant), ne sont valides qu'à l'intérieur d'un seul univers, qui est celui du langage (il faut entendre ici univers au sens fort : une cosmogonie de la parole) : le langage est une véritable planète qui émet ses héros, ses histoires, son bien, son mal [21]. C'est le parti que Sollers a tenu avec une rigueur irréprochable (mais non pas irréprochée). Or, rien ne provoque plus de résistance que la mise à jour des codes de la littérature (on se rappelle la méfiance de Delécluze devant la *Vita Nova* de Dante); on dirait que ces codes doivent à tout prix rester inconscients, exactement comme est le code de la langue; aucune œuvre courante n'est jamais langage sur le langage (sauf dans le cas de certains relais classiques), au point

21. « Le livre ne doit pas rester pris au piège qu'il se tend à lui-même, mais se placer dans un espace qui n'appartient qu'à lui » (Ph. Sollers, *Tel Quel*, n° 6).

que l'absence de niveau méta-linguistique est
peut-être le critère sûr qui permet de définir
l'œuvre de masse (ou apparentée) : faire du
langage un *sujet*, et cela à travers le langage
même, constitue encore un tabou très fort
(dont l'écrivain serait le sorcier) [22] : la société
semble limiter également la parole sur le sexe
et la parole sur la parole. Cette censure rencon-
tre une paresse (ou s'exprime à travers elle) :
nous ne lisons bien, ordinairement, que l'œuvre
dans laquelle nous pouvons nous projeter.
Freud, reprenant Léonard de Vinci, opposait la
peinture (et la suggestion) qui procède *per via
di porre*, à la sculpture (et à l'analyse), qui
procède *per via di levare* [23]; nous pensons toujours que les œuvres sont des peintures et que
nous devons les lire comme nous croyons qu'elles
ont été faites, c'est-à-dire en nous y ajoutant
nous-mêmes. A ce compte-là, seul l'écrivain
peut se projeter dans *Drame*, seul l'écrivain peut

22. C'est ce tabou que Dante — entre autres — a secoué,
lorsqu'il a fait de ses poèmes et de leur commentaire technique une seule œuvre *(la Vita Nova)*, et plus précisément encore
lorsque, dans ce livre, s'adressant à sa ballade *(Ballade, va
trouver Amour...)*, il repousse l'objection selon laquelle on ne
saurait à qui il parle sous prétexte que « la ballade n'est rien
d'autre que ce que j'en dis ».
23. *La Technique psychanalytique*, p. 13.

lire *Drame.* On peut cependant imaginer, espérer une autre lecture. Cette lecture nouvelle à quoi nous invite *Drame* n'essaierait pas d'établir entre l'œuvre et le lecteur un rapport analogique, mais, si l'on peut dire, homologique. Lorsqu'un artiste lutte avec la matière, toile, bois, son, mots, bien que cette lutte produise, chemin faisant, des imitations précieuses sur lesquelles nous pouvons réfléchir sans fin, c'est tout de même cette lutte et cette lutte seule qu'en dernière instance il nous dit : c'est là sa première et sa dernière parole. Or cette lutte reproduit « en abyme » toute les luttes du monde; cette fonction symbolique de l'artiste est très ancienne, donnée à lire beaucoup plus clairement qu'aujourd'hui dans des œuvres d'autrefois, où l'aède, le poète, était chargé de représenter au monde, non seulement ses drames, mais aussi son propre drame, l'événement même de sa parole : les contraintes de la poésie, si actives dans des genres très populaires et dont la maîtrise a toujours suscité une vive admiration collective, ne peuvent être que l'image homologique d'un certain rapport au monde : il n'y a jamais qu'un seul côté de la lutte, il n'y a jamais qu'une seule victoire. Ce symbole s'est atténué dans la modernité, mais l'écrivain est précisément là pour le réveiller sans cesse et quoi qu'il lui en coûte : c'est ainsi qu'à l'exemple de Sollers il est *de ce côté-ci* du monde.

Le refus d'hériter *

(1968)

L'idée révolutionnaire est morte en Occident. Elle est désormais *ailleurs*. Pour un écrivain, cependant, le lieu politique de cet *ailleurs* (Cuba, la Chine) importe moins que sa forme : dans cette migration, ce qui le concerne directement, c'est-à-dire du point de vue de son travail (car l'écrivain, lui aussi, travaille), c'est la dépossession de l'Occident qu'elle implique, l'image nouvelle qu'elle impose : celle d'un champ dont le sujet occidental n'est plus le centre ou le point de vue. C'est dans ce *lointain* de la révolution (lointain absolument inédit, « inécrit ») que Philippe Sollers a établi son travail et développe son œuvre.

* Paru dans *le Nouvel Observateur,* n° 181, 30/4/1968.

Sollers refuse d'hériter — sinon de l'inhéritable. Ce refus d'hériter, que l'on minimise ordinairement sous le nom d'*impertinence*, peut prendre la forme de positions diverses, les unes fondamentales (on les trouvera dans le programme de *Logiques* [1]), les autres plus contingentes, liées aux activités de la revue et de la collection « Tel Quel », activités qui, elles aussi, sont des *écritures*. Par exemple : il paraît nécessaire à Sollers de marquer une certaine rupture à l'égard du langage politique des pères; les pères, en l'occurrence, ce sont les intellectuels et les écrivains de gauche, accaparés pendant les vingt dernières années par le combat antistalinien : leur mode d'inscription politique dans le monde doit être maintenant *désécrit*, écrit d'une manière contradictoire, « scandaleuse ».

Un communiste à « Tel Quel »? Pourquoi pas, si cela est désécrire l'anticommunisme dont s'est nourrie (et surnourrie) l'intelligentsia de gauche, et si c'est du même coup — il ne faut pas l'oublier — désécrire l'antiformalisme traditionnel des intellectuels communistes? Deux

1. *Logiques* et *Nombres*, Seuil, 1968.

« héritages » qu'il n'est pas mauvais d'annuler l'un par l'autre, d'autant qu'ils ont en commun la même inattention tranquille à la responsabilité des formes.

Quant à la rupture fondamentale, celle qui est justifiée principalement dans *Logiques* et allusivement dans *Nombres*, elle a pour objet l'histoire de notre littérature. L'essentiel de cette littérature, pour Sollers, a été pendant des siècles et est encore soumise à une forme unique de *lisibilité* : une tragédie de Racine, un conte de Voltaire, un roman de Balzac, un poème de Baudelaire ou un récit de Camus impliquent un même ressort de lecture, une même idée du sens, une même pratique de la narration, en un mot une même « grammaire ». Or cette grammaire profonde, grammaire de la lecture et non simple grammaire de la langue française, on commence à en démonter les règles, et elle apparaît dès lors comme particulière, bien que nous la vivions encore comme universelle, c'est-à-dire comme naturelle. Du même coup une autre langue paraît possible, révolutionnairement justifiée : celle qui, d'une manière excentrique, a commencé à s'écrire ici et là, à la limite de cette lecture canonique du « réel », qui a imprimé sa marque unique à tout le discours occidental. Mallarmé, Lautréamont, Roussel, Artaud, Bataille, dont s'occupe Sollers dans *Logiques*, sont les premiers opérateurs de cette *autre langue*; leur écriture n'est en rien un *style* ou une *manière*, à quoi l'on adhérerait par « goût » (selon ce vieux principe voltairien qui réduit tout phénomène à sa plus petite cause possible), mais un acte de dénégation, destiné à secouer le droit naturel des anciens textes et à périmer les concepts *(sujet, réel, expression, description, récit, sens)*, sur quoi reposaient leur fabrication et leur lecture.

La contestation portée par Sollers à la littérature (puisque tel est le nom de l'ancienne écriture) n'entraîne pas seulement une révision de la manière d'écrire, mais aussi une définition nouvelle du réel, de l'écrivain et de leur travail réciproque. Pour comprendre l'action de Sollers, il faut partir du *signe*, terme commun à toutes les recherches récentes, même si le signe doit être finalement emporté dans un espace, un texte qui le détruira. Ce que les écrivains ont longtemps appelé le « réel » n'est lui-même qu'un système, un flux d'écritures échelonnées à l'infini : le monde est toujours *déjà* écrit. Communiquer avec le monde (vœu pieux qu'on oppose superbement à tous les « formalismes »), ce n'est donc plus mettre en contact un sujet et un objet, un style et une matière, une vision et des faits, c'est traverser les écritures dont est fait le monde, comme autant de « citations » dont l'origine ne peut être ni tout à fait repérée, ni jamais arrêtée, c'est produire cette écriture textuelle, demandée par Sollers, expression qui n'a rien de mystérieux, si l'on veut bien penser que le texte est, étymologiquement parlant, un *tissu*, un réseau d'écritures — et non un tableau que l'écrivain extrairait de sa conscience ou de la réalité, en recevant parcimonieusement de l'art le droit de les déformer.

L'écriture réclamée et pratiquée par Sollers conteste donc un usage du langage littéraire, celui de la *représentation*. Depuis des siècles, la littérature prend pour modèle la peinture, en tant qu'elle figure des actions, des paysages, des caractères ; d'où le récit, la description, le portrait. Cependant la peinture elle-même, en cinquante années, de Cézanne à Duchamp, comme le rappelait le prospectus d'une exposition récente, a aboli l'un après l'autre la tradition, le sujet, l'objet et la peinture elle-même ; notons que Cézanne, Picasso, Kandinsky ou Duchamp n'en paraissent pas pour autant « incompréhensibles » ; mais le langage, matière commune à l'écrivain et à tous les hommes, offre sans doute, socialement, bien d'autres résistances. Quoi qu'il en soit, l'enjeu est le même : de la page à la toile, à l'objet, grâce à ce que Sollers appelle le « trait », par opposition à la « voix », organe mythique de l'expression, mettre l'écriture *dehors*, en circulation avec les écritures dont s'écrit le monde en mouvement : c'est ce que fait *Nombres*, où l'on trouvera, disséminées comme des germes à travers l'une des plus belles langues qui soient en français (car le « bonheur d'expression » est cela même qui était déjà moderne dans les anciens textes) beaucoup d'écritures qui viennent de ces *autres langues* (la mathématique ou la chinoise, par exemple), dont l'ensemble forme nécessairement pour nous la *langue de l'autre.*

Le congé donné à la représentation (ou, si l'on préfère, à la figuration littéraire) a, entre autres, une conséquence importante : il n'est plus possible de mettre quelque chose ou quelqu'un derrière l'auteur; à la surface de l'écriture plurielle, celui qui écrit ne saurait être recherché : *Nombres* n'en donne aucune image, même (et surtout) cachée; tout ce qui faisait le poids de l'imaginaire (thèmes, répétitions, indices, fabulations, scénarios) est au fur et à mesure *sorti* de l'écriture, car abolir le récit, c'est dépasser le fantasme : il faut concevoir l'écrivain (ou le lecteur : c'est la même chose) comme un homme perdu dans une galerie de miroirs : là où son image manque, là est la sortie, là est le monde.

Le rapport de cela avec la révolution? Un écrivain ne peut se définir que par son travail. Au regard de ce travail, la révolution est essentiellement une forme, celle de la dernière différence, *la différence qui ne ressemble pas.* Placé devant une situation historique nouvelle, Sollers en profite : il exploite le principe, longtemps censuré, selon lequel le rapport de la révolution et de la littérature ne peut être analogique, mais seulement homologique : à quoi bon copier le réel, même d'un point de vue révolutionnaire, puisque ce serait recourir à la langue bourgeoise par excellence, qui est précisément celle de la copie? Ce qui peut passer de la révolution dans l'écriture, c'est la subversion, l'incendie (image sur laquelle s'ouvre *Nombres*), ou, si l'on préfère parler positivement, le *pluriel* (écritures, citations, nombres, masses, mutations). Ce dont Sollers marque à la fois la suite et le commencement, c'est cette sortie hors du jeu narcissique de l'Occident, l'avènement d'une différence absolue — que la politique se chargera bien de représenter à l'écrivain occidental, s'il ne prend les devants.

Par-dessus l'épaule [*]

(1973)

Un jour, je disais de quelque texte qu'il était beau. On se récria : *comment peut-on être moderne et parler de beauté?* Notre vocabulaire est si limité (précisément là où les nouveautés surabondent) qu'il faut bien accepter que les mots tournent et reviennent. Je pars des choses et je donne des noms, même usés. Je m'entête donc, et je dis du livre de Sollers[1] qu'il est beau. Je désigne par là, non quelque conformité à un idéal canonique, mais une plénitude *matérielle* de plaisirs. Est beau, tout ce qui est érotiquement surdéterminé. Le livre de Sollers n'abandonne rien, ni l'histoire, ni la critique, ni la langue, et c'est cette *suffocation* que j'appelle « beauté ».

[*] Paru dans la revue *Critique*, n° 318, 11/1973.
1. *H*, Seuil, 1973.

Comment ça marche? Comme « un tourbillon de langue ». Voyez les feuilles à terre, prises dans l'orage qui vient : ce sont de petits vertiges, entrant eux-mêmes dans une grande spirale, et cette spirale se déplace, s'en va, on ne sait où. Dans *H*, tout est réglé selon un coq-à-l'âne généreux; à peine pris dans un semblant de phrase, le sujet *(topic)* se décoince, évite la période oratoire, qui menace toujours. Le vertige vient de la distance des sujets télescopés, de la vitesse prodigieuse à laquelle ils défilent, de l'étroitesse de leur lieu d'échange. C'est une sorte de mouvement brownien, c'est, toutes proportions gardées, l'écran télé-visuel, avant que la représentation ne s'y fixe : lorsque l'image, la sacro-sainte image, est interrompue (par quelque orage) et que la surface dépolie, chargée d'électricité, vibre, éblouit, crépite, fait barrage à la métaphysique qui reviendra, l'orage passé (la métaphysique, c'est-à-dire le sketch publicitaire, la « dramatique », le « grand reportage », etc.). Dans le livre de Sollers, *ça pleut*, à la façon de ces longues raies d'idéogrammes (serrées, drues, fines, élégantes, emportées et maîtrisées) qui viennent strier sans relâche (et pourtant comme c'est aéré!) le papier coloré du manuscrit Ise-shû (Japon, xiie siècle) : « Pluie, Semence, Dissémination, Trame, Tissu, Texte, Écriture. »

H décape à peu près tous les langages [2]; mais il ne peut le faire que parce qu'il n'est pas lui-même un langage, mais une langue dans la langue : son pluriel est *sans repli* (au sens tactique, militaire et topographique du mot). L'aporie à quoi il échappe est que, pour décaper, il faut ordinairement un langage décapant, qui devient à son tour une nouvelle peinture. D'où la solution plurielle : par les bris de langage, produire sur le mur (l'écran, la page) de la représentation, des taches multiples, des dessins bizarres, des écailles, des craquelures (l'écriture chinoise n'est-elle pas née, dit-on, des craquelures apparues sur des écailles de tortue chauffées à blanc?)

2. Jacques Henric parle, à propos de *Lois*, d'une « réécriture décapante de divers grands mythes fondant notre culture occidentale ».

Différentes façons de prendre le « fouillis » :
soit comme un désordre, soit comme une disposition aléatoire, soit comme une figure globale,
soit comme un infini céleste, etc. Mais le fouillis,
c'est aussi cet espace de jouissance *où il est
possible de fouiller*. *H* est, de ce point de vue,
une forêt de mots, au sein de laquelle je cherche
ce qui va me toucher (enfants, nous cherchions
dans la campagne des œufs de chocolat qu'on y
avait cachés). C'est un autre suspense que celui
de la narration ou du rébus; j'attends le bout
de phrase qui me concernera et fondera *le sens
pour moi*. *H* est un théâtre, analogue au Livre
utopique de Mallarmé : de la scène du texte
partent des traits de langage (on peut dire,
pour simplifier, *des vers* : le vers n'est-il pas ce
qui se détache et vient percuter?), dont aucun
ne s'adresse à tous, mais dont chacun vient
interpeller quelqu'un (le collectif des lecteurs
d'un livre n'est pas une masse anonyme et
égale; plus le livre est « moderne », plus il
requiert une différenciation aiguë de ses lecteurs — de ses jouisseurs; la vacillation du sujet,
recherchée par *H*, passe par un individualisme
éperdu : celui des corps, qui se moque des lois
d'universalisation, d'alignement, de massifica-

tion, édictées par la société étatique et centra-
lisée).

Mi-parole, mi-écriture (visant à une écriture
parlée, qui sera le contraire même de la parole
écrite), *H* transporte de l'une à l'autre une
qualité étrange : l'*éloquence*. L'éloquence de *H*
tient à ceci que le discours (est-ce encore du
discours?) avance, court, roule, boule, relancé
par des « allumages » différents : les idées crépi-
tent sans cesse (j'appelle « idée » l'antiphrase
d'une platitude), les mots, les sons, les lettres,
tout ce dont peut se bourrer l'écriture pour tenir
de la voix, non son leurre expressif, mais son
timbre, son grain, ce que, dans l'art vocal, on
appelle son *mordant*, c'est-à-dire la marque iné-
luctable, implacable, inaliénable, du corps.
Autrefois, l'éloquence était associée au « cœur »;
pourquoi pas? Il n'eût pas été possible d'écrire
un livre aussi plein de *présences* (au monde)
sans générosité (valeur nietzschéenne).

Par où commencer? Eh bien, par l'instrument
de travail, la machine à écrire. Il y a très long-

temps, l'aède, avant de réciter, s'essayait à lancer la machine narrative : c'était le proème. Plus tard, le troubadour, le minnesinger, avant de chanter, laissait agir ses mains sur l'instrument : c'était le prélude. Ayant à entrer dans l'infini du langage, Sollers part de ce qui va matériellement le produire : tout commence, non par le sujet, mais par l'instrument de production : « sollers » ne veut pas dire seulement « l'avisé »; c'est aussi « le productif » (voir Henri Goelzer, *le Latin en poche*).

Lorsqu'il déplie son nom (signifiant majeur), Sollers, évidemment, ne reporte pas sur sa « personne » les significations du Nom (comme faisaient les nobles en se glorifiant de l'étymologie de leur patronyme, ou comme le proposent aujourd'hui les almanachs de prénoms). Le Nom est ici un départ digressif, la rupture d'une métonymie : c'est en délirant (voire historiquement) sur son propre nom (sur son nom propre), que le sujet se désempoisse de sa personne : le nom part tout seul, comme un ballon sans fil; en détachant mon nom, je me discontinue (je me désacralise). Si chacun de nous explorait

ainsi son nom, nous quitterions notre infatua-
tion, et tout irait peut-être mieux, dans la
fameuse « communication ».

Toute la musique tonale est liée à l'idée de
construction (de « composition »). Or, la lisibilité
de l'œuvre peut être assimilée d'une certaine
manière à la tonalité : même règne et même
éclatement [3]; une nouvelle audition, une nouvelle lecture se cherchent, commencent, toutes
deux atonales. Et ce qui est bouleversé dans les
deux cas, c'est le développement (du thème,
de l'idée, de l'anecdote, etc.), c'est-à-dire la
mémoire : le texte est sans mémoire, et la
figure sensuelle de cette amnésie souveraine,
c'est le timbre. *H* (comme telle pièce de
Webern — Sollers s'y réfère explicitement)
est une gamme de timbres (la voix n'y est
pas un instant *détimbrée*); cela s'éparpille,
éclate, poudroie, comme les *Jeux* de Debussy;
depuis ce Debussy-là, depuis Webern et les
musiciens postérieurs, plus de « thème-et-
développement »; dans *H* non plus, il n'y a

3. ... et vous voudriez que la tonalité continue non mais...
(*H*, p. 184).

61

pas un atome de graisse rhétorique. Cette nouvelle pratique frappe d'inanité la « composition » (même si le livre est secrètement agencé, à la façon d'un jeu) : la longueur (combien de genres classiques, littéraires ou musicaux, se définissaient par la dimension des œuvres) n'est plus pertinente : la nappe sollersienne n'est pas différente de la pièce brève (Webern), du haïku ou du fragment.

De l'absence de ponctuation, on induit une absence de phrases. Et c'est vrai; on commence à entrevoir la signification suspecte de la Phrase, c'est-à-dire : qu'elle est un artefact linguistique; qu'il n'est pas sûr que dans la parole vivante il y ait des phrases; que la découpe prétendument logique du discours implique une idéologie, installe une tyrannie du signifié; que d'une certaine manière la phrase est toujours *religieuse*, et que ses contestations sont toujours réprimées (à titre scolaire ou psychiatrique). *H* constitue donc un certain procès de la Phrase. Et cependant, ce qui est substitué à la Phrase, ce n'est pas son contraire mécanique, le babil, la bouillie. Une troisième forme apparaît, qui garde de la phrase sa séduction langagière, mais évite sa découpe, sa clôture, c'est-à-dire, en définitive, *son pouvoir de représentation*. *H* tisse, non des phrases, mais des mouvements syntaxiques, des bribes d'intelligibilité, des taches de langage (au sens que ce mot pourrait avoir dans la calligraphie d'un Pollock). Qu'est-ce donc, linguistiquement, qui est évincé, dans ce texte? C'est moins la ponctuation (carence somme toute superficielle) que l'enrobement, l'emboîtement, l'enjambement des propositions, c'est-à-dire la *période* (objet aristotélicien). La phrase littéraire n'est-elle pas un *montage?* Le texte de Sollers n'est pas *monté :* la composition (l'ordre rhétorique) est mise en échec, non le bombardement des représentations instantanées.

Dans le dossier de presse de *H*, il n'est pour ainsi dire pas un article qui ne commence par relever les singularités typographiques du livre (ni ponctuation, ni majuscules, ni alinéas). Parlons donc, nous aussi, du Texte *avant qu'on le lise.*

Il s'agit d'un débit continu, serré, apparemment sans faille. Ce débit peut être reçu de deux façons différentes, opposées. Si l'imagination du lecteur est *aérienne* (au sens où pouvait l'entendre Bachelard), ce texte continûment serré lui donnera une sensation d'asphyxie; il dira « j'étouffe » et jettera le livre (soit dit en passant, pour qu'un texte existe, il est nécessaire qu'il soit rejeté par certains corps, par certains lecteurs; il n'y a pas de lecture universelle, il n'y a pas de corps universel : le corps de désir — la lecture de désir — est immédiatement différencié). Si au contraire l'imagination du lecteur est *liquide*, tout change; l'image figurée par la typographie devient bénéfique, exaltante; c'est celle du bain lubrifiant, du jet libérateur, de l'orgasme utopiquement infini; ce texte de jouissance n'est pas pour autant idyllique; il a quelque chose d'implacable, à la façon d'un final de Bach; ce débit veut dire en somme : *le texte part, il n'arrive pas* (il n'est pas « fonctionnel », « rentable », il se place dans une logique, dans une sexualité, détachées de toute finalité (pro)créatrice); la cause, la fin, bref l'*interlocution* est congédiée, *mais le sujet aussi :* l'auteur n'attend pas pour continuer de voir *l'effet* de ce qu'il vient de dire; il ne ménage pas le lecteur, il ne se ménage pas, *il ne surveille pas le langage.*

L'écriture (contraire sur ce point à la « littérature »), c'est la tension du corps qui essaye
de produire du langage *irreperable* (c'est le
rêve du *degré zéro* du discours). Cependant
— paradoxe ou dialectique —, on ne peut désituer le langage qu'en passant par le relais du
langage, qui est toujours du « *déjà-entendu* ».
Il faut donc une dialectique de la mémoire qui
se pose et se détruit elle-même. C'est à quoi
servent, dans *H*, les « repères » : ce sont des
rappels d'actualités, des syntagmes tout faits,
de menues « condensations de savoir », des
bribes vaguement identifiables, des bouées de
lisibilité, de brèves floculations issues du discours des autres : souvent, très souvent, sous
forme de légers « saluts », la mémoire sociale
pointe, mais c'est pour aussitôt s'éclipser; le
plagiat est cassé, pulvérisé; la mémoire flotte,
ne tient pas en place; il se produit une nouvelle
langue dans la langue, un *grund*, un écran
mouvant, électrifié, sur quoi aucune représentation ne s'enlève; les souvenirs de langage
fourmillent, mais ils ne sont jamais arrêtés,
caressés. Il faut bien voir qu'avec le langage,
rien de vraiment *neuf* n'est jamais possible :

pas de génération spontanée ; hélas ! le langage lui aussi est filial ; en conséquence, le *nouveau radical* (la langue nouvelle) ne peut être que de l'ancien pluralisé : aucune force n'est supérieure au *pluriel*.

On trouve dans *H* maint syntagme de cette facture : « *toupie de diamant liquide* », « *suspendues avec des poires jaunes remplies de roses sauvages* », « *prends cette jonquille cale-toi contre le caveau dans la mousse* », etc. ; tous ces syntagmes renvoient à quelque chose qui est très important dans la théorie de l'écriture, et qui est : *le passage des objets sensuels dans le discours.* Il est en effet nécessaire (pour notre plaisir) que certains signes aient une sorte de poids référentiel ; que forçant l'absence du mot (« l'absente de tous bouquets »), la substance sensuelle des choses oblige par endroits le langage à disposer dans son tissu quelques effets physiques, quelques métonymies (du signifié au signifiant), quelques souvenirs (tactiles, voluptueux, savoureux). Il y a de ces « passages » chez Chateaubriand (les orangers de la *Vie de Rancé*) et chez Bataille (l'assiette de lait de l'*Histoire de l'œil*); par ce phénomène, cette grâce ne fait pas acception d'école ni d'époque; ce brusque alourdissement du discours, cette tumescence légère (et subite) advient parfois à des écrits sévères et les sauve de l'ennui; j'aime voir apparaître le plumage de la chouette chez Hegel (« ce n'est qu'au début du crépuscule que la chouette de Minerve prend son vol »), et chez Marx la silhouette du tisserand et du tailleur (à propos du travail concret/abstrait); l'effet bienfaisant de ces passages tient à ceci, que le sensuel est toujours lisible : si vous voulez être lu, écrivez sensuel. Or, dans *H*, ces passages abondent, rendus plus libres, plus brillants encore, par le lâcher de la Phrase; car, ôté la Phrase, le Mot règne, cratyléen. On peut se demander : par quoi l'humanité a-t-elle commencé? le Mot ou tout de suite la Phrase? J'imagine que les hommes sont venus d'emblée et en même temps au Langage, à la Phrase, à la Loi; et que la brillance du mot, sa sensualité cernée, le retour *civilisé* du Référent, ne peuvent survenir au discours que comme un désordre *conquis*. Je note aussi que, contrairement à la Phrase, le mot solitaire, le Mot-Roi ne s'offre à aucune « interprétation »; c'est la Loi, c'est le sens qui s'interprètent; c'est avec la Phrase, avec le sens, que commence la guerre sanglante des langages.

Un moyen sûr permet de distinguer l'*écrivance* de l'*écriture* : l'écrivance se prête au résumé, l'écriture non. *H* porte évidemment l'idée de « résumé » au plus haut point de dégoût. C'est précisément l'une des fonctions textuelles de *H* que de déjouer l'abstract, la conservation, le classement. *H* à la Bibliothèque nationale? Je suis curieux de savoir quelle en sera la fiche méthodique.

Comment fait-on un article de critique? On lit le livre de bout en bout, on prend des notes, on fait un plan, on écrit. Ici, ce chemin n'est pas le bon. *H* vous porte à la limite du commentaire : il ne permet pas « l'idée générale ». D'où ces fragments : eux seuls, on peut l'espérer, empêchent de produire dans le commentaire ce « fantasme d'unité » que *H*, précisément, s'emploie à dissoudre. Le recours aux fragments (se rappeler qu'ils sont toujours là pour *éviter* une consistance dont on ne veut pas) me dispense d'avoir, sur l'œuvre de Sollers, une thèse à défendre, une référence à préparer. Quoique l'accompagnant depuis longtemps, je prends à chaque fois son travail en marche : ces fragments sont les pas de cette marche : c'est le mouvement du « compagnon de route ».

Quand un texte « fait de l'effet », d'un certain sens, il n'y a plus rien à en dire (c'est le principe *négatif* de la jouissance). Ce qui est commenté ici n'est donc pas à proprement parler le texte de Sollers, ce sont plutôt les résistances culturelles de la lecture. Non plus : *pourquoi a-t-il écrit?* mais : *comment le lire?* Comment lire ce qui est attesté ici et là comme illisible? *H*, comme *Lois*, doit rester suspendu, maintenu dans un certain *étonnement* de la lecture (chose curieuse, l'hostilité qui a trop souvent accueilli ce livre ne fait état d'aucun étonnement : vieux réflexe français : « on ne nous la fait pas », « si nous passions pour des imbéciles? » : tel Gribouille, maint critique se précipite dans l'inintelligence de peur de paraître idiot; la vraie bêtise ne s'étonne jamais de rien. Il faut dire

69

que s'étonner, ce serait déjà être amoureux,
l'étonnement étant le commencement timide
de la jouissance).

Naguère, la critique était plus naïve — ou
plus franche : les postulats s'affrontaient sans
détours : le clan catholique attaquait Gide
parce qu'il était protestant, et cela se disait en
toutes lettres. Aujourd'hui, la dépréciation d'un
auteur ne se fait pas directement; elle ne se
soutient plus d'arguments simples (ce qui ne
l'empêche pas d'être au besoin simpliste) :
on déplace l'objet de l'attaque; on feint de viser
des leurres, des mannequins. La critique de *H*
permet de repérer quelques-uns de ces leurres.

Le « nouveau », par exemple, n'est pas atta-
qué de front; on le faisait impudemment autrefois, mais ce serait aujourd'hui malséant : on
serait rejeté du côté des passéistes, et la presse
se veut « jeune »; la dénégation est donc reportée
sur l'adversaire : « *H prétend au Nouveau, mais
n'est pas si nouveau que ça* » : suit le rappel de
quelques discours aponctués (dans la masse cul-
turelle de l'humanité, on trouve des exemples
pour tout). Cet argument permet un coup

70

triple : en dissociant *H* du « vrai » Nouveau, j'affirme mon hostilité à l'auteur, je me défends d'être moi-même opposé aux nouveautés et je laisse entendre que j'ai une grande culture. Procédé homéopathique : une pincée de la petite histoire vaccine contre les dangers de la grande Histoire.

Autre leurre : la Mode : « *H n'est qu'un effet de Mode.* » On réduit ainsi le texte à un phénomène superficiel (la Mode est légère), suiviste et peu estimable (à la Mode s'oppose implicitement la haute moralité des valeurs profondes, sincères, stables : humanistes). Cette réduction, dont toute une critique nous fait un vrai casse-tête, censure les liens historiques du Nouveau et de la socialité la plus large : il n'y a pas d'insignifiant en Histoire : ce qui est suivi (n'exagérons pas, cependant, la mode de *H!*), combattu et défendu, ce qui provoque désirs et résistances, peut être transitoire, mais ne disparaît pas sans avoir déplacé, transformé, *rendu impossible* la lettre du passé. Il y a des snobs de l'avant-garde? Mais ce que Mme Verdurin défendait, ce n'était pas Saint-Saëns ou Ambroise Thomas, c'était Wagner et Debussy! Le snobisme peut être une petite machine bourgeoise qui fonctionne contre la bourgeoisie elle-même, et c'est à ce titre qu'il peut être (modestement) historique.

Un autre leurre, proche du précédent, c'est la « coterie » : *H* serait le produit sophistiqué, ésotérique, d'un petit groupe d'intellectuels qui vivrait triomphalement de sa propre clôture, coupé des grandes masses de l'opinion. C'est évidemment renverser les rôles : le travail accompli dans *H* — travail ample, profond, éloigné de tout projet formaliste — est fermé *de l'extérieur :* sa ligne d'incommunication est tracée par d'autres; la « clarté » ou l' « obscurité » ne sont pas des qualités de nature, ce sont des dispositions choisies par le lecteur : l'honnêteté (libérale) ne consisterait-elle pas à se dire *d'abord :* si *vous* êtes incompréhensible, c'est que *je* suis bête, ignorant ou mal intentionné? Pour ne pas communiquer, il faut être deux.

Dernier procédé d'attaque, particulièrement patelin (disons que c'est un *comble :* ce qui couronne toute tactique d'exclusion) : *faire la leçon à l'adversaire sur son propre terrain.* Des journaux bourgeois diront donc à Sollers : « *Ce que vous écrivez, tout compte fait, est bour-*

geois; ce que vous faites ne sert pas la Révolution. »
Ces stratèges se font imperturbablement pro-
cureurs de la cause qu'ils attaquent; on enlève
ainsi à l'adversaire tout allié, de quelque bord
qu'il soit, on l'enferme dans la fatalité de son
origine tout en lui retirant le bénéfice de son
choix : « *Rien à faire vous serez toujours un
bourgeois; ne comptez ni sur vos amis (vous
êtes inexpiablement différent d'eux) ni sur vos
ennemis (vous les terrorisez).* »

Fonction gaffeuse de la critique : elle vous
crédite de ce que vous ne voulez pas. Il existe
ainsi un petit procédé journalistique qui consiste
à dissocier systématiquement des travaux soli-
daires : d'un côté Philippe Sollers et Julia
Kristeva et de l'autre, l'auteur de ces lignes :
les compliments adressés en passant au second
rendent plus « objectifs », pense-t-on, le rejet
désinvolte des premiers : « ce n'est pas un
choix théorique que nous attaquons, car ils sont
tous estimables; c'est une manière, un style,
un discours ». L'amalgame est une figure bien
connue des procès critiques; voici la figure
contraire : la dissociation : il y a une bonne
avant-garde et une mauvaise; la « bonne »
avant-garde ne déclare rien de directement

politique, elle écrit classique; la « mauvaise »
avant-garde... (voir plus haut ce qui a été dit
des leurres critiques). La véritable appréciation,
elle, consisterait évidemment à situer les solida-
rités théoriques (qui sont grandes) et les différences tactiques (qui ne sont pas des oppositions), à imaginer, en un mot, une combinatoire
de la modernité.

Si j'étais un théoricien de la littérature, je
ne m'occuperais plus guère de la structure des
œuvres, qui ne peut exister, au fond, que dans
l'œil de cet animal particulier, le métalinguiste,
dont elle est, en quelque sorte, une propriété
physiologique (d'ailleurs fort intéressante); la
structure, c'est un peu comme l'hystérie; occu-
pez-vous-en, elle est indubitable; feignez de
l'ignorer, elle disparaît. En somme deux sortes
de phénomènes : ceux qui résistent au regard
(ordre du « secret »), et ceux qui naissent du
regard, qui n'existent qu'à proportion qu'on les
regarde (ordre du « spectacle »). J'en viens à
préférer le spectacle (la fiction) à la structure,
parce que la fin de toute structure est de constituer une fiction, un «fantôme de théâtre» (Bacon).

Dans le texte (dans l'œuvre), c'est donc de l'acteur qu'il faut s'occuper. Or, celui qui agit le texte, c'est le lecteur; et ce lecteur est pluriel (« ... car mon nom est Légion », disait le démon); pour un texte, il y a une multitude de lecteurs : non pas seulement des individus différents, mais aussi dans chaque corps des rythmes différents d'intelligence, selon le jour, selon la page. Pour nous donner une idée de ce pluriel, distinguons dans la lecture de *H* trois champs de différences, trois ordres de lectures.

Le premier champ est individuel (corporel) : j'expérimente sur *H* différentes approches. Je puis lire le texte : 1) *en « piqué »* (je survole la page et j'y pique, par hasard, intuition ou aimantation, un syntagme savoureux, ou choquant, ou problématique, bref notable); 2) *en « prisé »* (je saisis délicatement toute une plage du texte et je la savoure); 3) *en « déroulé »* (c'est la lecture ordinaire, légale, c'est la croisière : je déroule le volume de bout en bout, comme un roman, avançant du même pas, quel que soit mon plaisir, ou mon ennui); 4) *en « rase-mottes »* (je lis minutieusement, à même chaque mot, sans économiser mon temps, me mettant, si l'on peut dire, dans le rôle d'un glossateur. Il faut signaler ici l'un des paradoxes de *H* : la typographie, égale de bout en bout, d'une linéarité implacable, devrait emporter une lecture plus rapide, comme si, dans cette machine cinématographique, le sens, la figure ne pouvait apparaître qu'à une certaine vitesse; or, bien au contraire, la lecture appliquée, lente, fait de *H* un livre profond, subtil, dont chaque lieu est intelligent, éclaire vivement, hors de la ligne, d'autres lieux que lui-même : *H* est à la fois une grande nappe oratoire et une boîte japonaise, pleine à l'infini de haikaï; *H* a les deux pouls : un pouls « populaire » — comme on dit : une chanson populaire —, rapide, allègre, et un pouls critique, celui d'un clerc qui lit obstinément, c'est-à-dire *en levant la tête*; 5) *en « plein-ciel »* (je vois le livre entier comme un objet distant, prétexte d'une réflexion, je le replace dans son paysage historique : théorie du texte, résistances, Histoire, avenir, etc.).

Le deuxième espace de lecture est sociologique. Je me refuse alors à séparer *H* de son accueil critique; je tiens *H* pour un acte (textuel) et je joins à cet acte les réactions qu'il provoque, comme si cette « réaction » faisait partie du texte; et ce texte-là, précisément, a pour fonction historique de manifester l'antagonisme qui travaille aujourd'hui la consommation des produits symboliques.

Le troisième espace est historique. Le texte s'offre à des lecteurs *qui ne vivent pas dans le même temps de lecture* (même s'ils sont biographiquement contemporains). Certains veulent lire *H* comme un roman (et sont déçus); d'autres comme de la poésie (et sont déçus); d'autres sont dans l'avant-garde de 1930; d'autres se mettent enfin postulativement dans l'avenir; ils tentent de lire *H* comme un texte de demain (même si, demain, ce ne sera pas ce texte-là), en sachant que cet avenir n'est pas seulement progressif et qu'il comporte dialectiquement des retours, des contretemps : un lecteur de Dante ou de Rabelais est sans doute plus proche de *H* qu'un lecteur de Malraux : même foyer, souvent, pour le plus lointain et le plus proche, le plus jeune et le plus vieux, le plus populaire et le plus aristocratique; il peut y avoir enfin des lecteurs *de transition :* qui perçoivent dans *H* un passage hors de ce qui ne pourrait plus survivre qu'à coups de répétitions, vers ce qu'ils ne connaissent pas et ne connaîtront pas (je pense être de ces lecteurs-là). Tel est le poudroiement du lecteur dans l'Histoire [4].

Quand aura-t-on le droit d'instituer et de pratiquer une *critique affectueuse*, sans qu'elle passe pour partiale? Quand serons-nous assez libres (libérés d'une fausse idée de l' « objectivité ») pour inclure dans la lecture d'un texte la connaissance que nous pouvons avoir de son auteur? Pourquoi — au nom de quoi, par peur de qui — couperais-je la lecture du livre de Sollers de l'amitié que j'ai pour lui? Peu d'hommes, cependant, donnent à ce point l'impression d'un seul et même texte (tissu), en quoi se prennent à la fois l'écriture et la parole quotidienne : pour certains, *la vie est textuelle*. J'ai connu, à la limite, des *écrivains sans livres*, dont la pratique, le langage, le corps, l'organisation, donnaient la certitude d'un véritable texte, en produisaient sur moi tous les effets. Il faut lire *H*, non face au livre comme s'il s'agissait d'un produit conservé que l'on con-

4. ... le poudroiement du sujet dans l'histoire... (Sollers).

temple et consomme en l'absence de tout sujet, mais *par-dessus l'épaule* de celui qui écrit, comme si nous écrivions en même temps que lui.

Situation [*]

(1974)

Depuis la Renaissance, le savoir a été dominé par une *liberté :* celle de concevoir, d'accomplir et d'écrire des *encyclopédies.* Cependant, un livre de Flaubert marque le terme dérisoire de cette possibilité : *Bouvard et Pécuchet* est la farce définitive du savoir encyclopédique ; conformément à l'étymologie, les savoirs y tournent bien, *mais sans s'arrêter ;* la science a perdu son lest : plus de signifiés, Dieu, Raison, Progrès, etc. Et alors le langage entre en scène, une autre Renaissance s'annonce : il y aura des *encyclopédies du langage,* toute une « mathésis » des formes, des figures, des inflexions, des interpellations, des intimidations, des dérisions, des citations, des jeux de mots ; tous ces mou-

[*] Paru dans la revue *Tel Quel,* n° 57, 1974.

vements, autrefois massés et contenus dans des parcs et des quarantaines (la poésie, le baroque, Rabelais, etc.) deviennent peu à peu le seul tissu (le seul texte) du sujet humain. C'est ainsi que je lis *H* (et quelques-uns de ses contemporains) : comme une encyclopédie de langage, une Comédie de Phrases, un désir de Renaissance.

L'Histoire revient, sans doute, mais il faut le répéter : *en spirale*. Cette nouvelle Renaissance ne prend la caution d'aucune Nature : la Grande Encyclopédie de la Matière (verbale) est lancée *sans filet*. D'où vient le risque? De ce que le langage, qui est précisément sa substance, est la Loi même : toute loi se rassemble fatalement dans le langage, et partant toute transgression et toute négation de la transgression. Le langage est finalement le seul lieu où il soit possible d'accomplir la formule de Bataille (défendue dans *Logiques*) : *lever l'interdit sans le supprimer*. C'est ce que fait Sollers : il lève l'interdit sans supprimer le langage (« Le récit avait commencé brusquement quand j'avais décidé de *changer de langue dans la même langue* »). C'est cette *extériorité intérieure* (lever la barre de la Phrase en gardant les yeux ouverts sur elle) qui déplaît à la fois

aux gardiens de la Loi et à ses négateurs.
Les textes de Sollers s'installent donc dans
un écartèlement, une *contradiction*, comme nous
disons poliment pour désigner de loin l'impossible abrupt du langage. C'est à cela que je
reviens toujours dans *H* : j'y suis fasciné par
cette énigme : un *discontinu continu* (ou l'in-
verse); les « sujets » (« *topics* » « *quaestiones* »)
courent, voltigent, passent, c'est la striure
incessante, sans prévenir. Ces sautes de textes,
analogues aux excès fascinants d'un oscillo-
graphe (annonciateurs d'*inouï*), sont cependant
emportés, roulés dans une vague unique (un
chant) qui ne peut être que la langue, dans sa
matérialité pure, débarrassée, et avec quelle
ardeur, de la métaphysique des contenus, des
représentations, des phrases. Ce continu de la
langue n'est pas de type huileux; c'est plutôt
celui d'un moteur musical, à la Bach (j'ai eu
moi-même une vive conscience du texte, de
la textualité, dans la vallée d'un oued marocain
d'où me parvenait toute une stéréophonie de
sons virgiliens — oiseaux, cris lointains d'enfants, bruissements d'orangers, mais aussi, à
longueur de journée, le moteur égal d'une
pompe; la campagne, le texte, c'est cela : une

idylle traversée par quelque machine : des couleurs, des silences, des brises, tout un tissu de vieilles valeurs culturelles, romantiques, coupé par la rage d'un vélomoteur). Je puis cerner cette énigme de plus près : le régime général du texte sollersien est fait d'une tension entre les *traces* du sujet (brisé) et l'emportement d'une piste *qui va* (c'est tout) : écrire droit avec des Z (la lettre du diable) : il y a une ligne générale (« comme si on était entré dans un grand fleuve strié »).

Que pour nous, vieux Européens, qui sommes encore condamnés à parler — non à construire —, l'ébranlement du discours soit *tout de suite* inscrit dans le projet révolutionnaire, c'est cet « avenir immédiat » qui est maintenu dans le travail de Sollers. Faites une épreuve de commutation : et s'il n'écrivait pas? Nous n'aurions plus alors à choisir qu'entre le conformisme (de droite, de gauche) et le babil; rien *en avant;* quel deuil, quel étouffement, quel bâillement! Lui, tient les fils en même temps; il va, double, visant à la fois l'avenir social et l'avenir textuel; il ne se retourne pas sur l'*arrière* du langage. Ses amis ou ses ennemis, il nous maintient tous *vivants*.

L'oscillation *
(1978)

. . . .
Kafka disait à Janouch : « Je n'ai rien de définitif. » Ce mot d'un écrivain nous renvoie à deux conduites, deux thèmes, deux discours : l'Hésitation, dont je viens de parler, et l'Oscillation, dont je vais parler.

Bien que je ne veuille pas traiter à fond de ce « cas », parce qu'il s'agit d'un ami proche, de quelqu'un que j'aime, estime et admire, et aussi parce qu'il s'agit d'un problème « chaud », de ce qu'on pourrait appeler « une image en action », je crois devoir dire un mot de Sollers : demander qu'on l'interprète selon la perspective d'une pensée sérieuse, et non à coup d'humeurs

* Cours sur le Neutre, Collège de France, 6 mai 1978.

et d'agacements. Cette pensée sérieuse est pré-cisément celle de l'Oscillation. Sollers, en effet, semble donner le spectacle de palinodies brus-ques, qu'il n'explique jamais, produisant ainsi une sorte de « brouillage » qui déconcerte et irrite l'opinion intellectuelle. Qu'est-ce que cela veut dire?

Je voudrais faire ici deux remarques.

La première est que, par ses « oscillations », il est évident que Sollers remet en question le rôle traditionnel de l'intellectuel (je dis bien « rôle », et non « fonction »). Depuis qu'il existe comme figure sociale (c'est-à-dire depuis la fin du xixe siècle, et plus précisément depuis l'affaire Dreyfus), l'intellectuel est une sorte de Procureur Noble des Causes Justes. Bien sûr, ce n'est pas la nécessité de son action qu'il s'agit de contester; c'est la consistance d'une figure de la Bonne Conscience, c'est un drapé qu'il s'agit de déranger. Or Sollers, de toute évidence, pratique une « écriture de vie », et introduit dans cette écriture, pour reprendre un concept de Bakhtine, une dimension carna-valesque; il nous suggère que nous entrons dans une phase de déconstruction, non de l'action de l'intellectuel, mais de sa « mission ».

Cette déconstruction peut prendre la forme d'un retrait, mais aussi d'un brouillage, d'une série d'affirmations décentrées. Sollers ne ferait en somme qu'accomplir un mot du *Quotidien du peuple* de Pékin (1973), donné en exergue à un numéro de *Tel Quel* : « Nous avons besoin de têtes brûlées, pas de moutons. » La secousse imprimée volontairement à l'unité du discours intellectuel est donnée à travers une série de « happenings », destinés à troubler le sur-moi de l'intellectuel comme figure de la Fidélité, du Bien moral — au prix, évidemment, d'une extrême solitude; car le « happening » n'est pas reçu dans cette pratique que je voudrais voir un jour analysée dans une étude qui pourrait s'appeler « Éthologie des intellectuels ».

La seconde remarque, c'est qu'à travers une musique comme effrénée de l'Oscillation, il y a chez Sollers, j'en suis persuadé, un thème fixe : l'écriture, la dévotion à l'écriture. Ce qui est nouveau, ici, c'est que cette soumission inflexible à la pratique d'écriture (quelques pages de *Paradis* tous les matins) ne passe plus par une théorie de l'Art pour l'Art, ni non plus par celle d'un engagement mesuré et ordonné (des romans, des poèmes d'un côté, des signatures de l'autre); elle semble passer par une sorte d'affolement radical du sujet, sa compromission multipliée, incessante et comme infatigable. On assiste à un combat fou entre l' « inconclusion » des attitudes, outrées, sans doute, mais dont la succession est toujours ouverte (« Je n'ai rien de définitif ») et le poids de l'Image, qui tend invinciblement à se solidifier; car le destin de l'Image, c'est l'immobilité. S'attaquer à cette immobilité, à cette mortification de l'Image, comme le fait Sollers, c'est une action dangereuse, extrême, dont l'extrémité ne serait pas sans rappeler les gestes, incompréhensibles pour le sens courant, de certains mystiques : El Hallâj.

L'intelligentsia oppose une résistance très forte à l'Oscillation, alors qu'elle admet très bien l'Hésitation. L'Hésitation gidienne, par exemple, a été très bien tolérée, parce que l'image reste stable : Gide produisait, si l'on peut dire, l'image stable du mouvant. Sollers au contraire veut empêcher l'image de prendre. En somme, tout se joue, non au niveau des contenus, des opinions, mais au niveau des images : c'est l'image que la communauté veut toujours sauver (quelle qu'elle soit), car c'est l'image qui est sa nourriture vitale, et cela de plus en plus : sur-développée, la société moderne ne se nourrit plus de croyances (comme autrefois), mais d'images. Le scandale sollersien vient de ce que Sollers s'attaque à l'Image, semble vouloir empêcher à l'avance la formation et la stabilisation de toute Image; il rejette la dernière image possible : celle de : « celui-qui-essaye-des-directions-différentes-avant-de-trouver-sa-voie-définitive » (mythe noble du cheminement, de l'initiation : « après bien des errements, mes yeux se sont ouverts ») : il devient, comme on le dit, « indéfendable ».

Table

Dialogue	5
Drame, poème, roman	11
Le refus d'hériter	47
Par-dessus l'épaule	55
Situation	81
L'oscillation	85

FIRMIN-DIDOT S.A. - PARIS-MESNIL
D.L. 1er TRIM. 1979. N° (3914)

T 27133